Sylvie Desrosiers

L'audition de Thomas

Illustrations
de Leanne Franson

Les éditions de la courte échelle inc.
5243, boul. Saint-Laurent
Montréal (Québec) H2T 1S4

Direction artistique:
Annie Langlois

Révision:
Sophie Sainte-Marie

Conception graphique de la couverture:
Elastik

Conception graphique de l'intérieur:
Derome design inc.

Mise en pages:
Sara Dagenais

Dépôt légal, 1er trimestre 2006
Bibliothèque nationale du Québec

La courte échelle bénéficie de l'aide du ministère du Patrimoine canadien dans le cadre de son Programme d'aide au développement de l'industrie de l'édition. La courte échelle est aussi inscrite au programme de subvention globale du Conseil des Arts du Canada et bénéficie de l'appui du gouvernement du Québec par l'intermédiaire de la SODEC.

La courte échelle bénéficie également du Programme de crédit d'impôt pour l'édition de livres — Gestion SODEC — du gouvernement du Québec.

Catalogage avant publication de Bibliothèque et Archives Canada

Desrosiers, Sylvie

    L'audition de Thomas

    (Premier Roman; PR149)

    ISBN 2-89021-842-2

    I. Franson, Leanne. II. Titre. III. Collection.

PS8557.E874A92   2006   jC843'.54   C2005-942240-8
PS9557.E874A92   2006

Imprimé au Canada

Sylvie Desrosiers

Quand elle écrit, Sylvie Desrosiers aime autant émouvoir ses lecteurs que les faire rire. C'est elle qui a créé le chien Notdog, désormais célèbre un peu partout dans le monde, car on peut lire plusieurs de ses aventures en chinois, en espagnol, en grec et en italien. Elle est également l'auteure de trois romans pour adolescents publiés à la courte échelle dans la collection Ado. *Le long silence* lui a d'ailleurs permis de remporter, en 1996, le prix Brive/Montréal 12/17 pour adolescents, ainsi que la première place du Palmarès de la Livromanie, et d'être finaliste au prix du Gouverneur général. Pour son roman *Au revoir, Camille!*, publié dans la collection Premier Roman, elle a reçu en l'an 2000 le prix international remis par la Fondation Espace-Enfants, en Suisse, qui couronne «le livre que chaque enfant devrait pouvoir offrir à ses parents».

Sylvie Desrosiers écrit aussi des romans destinés aux adultes et des textes pour la télévision. Et même lorsqu'elle travaille beaucoup, elle éteint toujours son ordinateur quand son fils rentre de l'école.

Leanne Franson

Leanne Franson est née à Regina en Saskatchewan. Elle a étudié à l'Université Concordia, à Montréal, en arts plastiques. Elle illustre des livres jeunesse et fait de la bande dessinée. À la courte échelle, elle est l'illustratrice de la série Thomas de Sylvie Desrosiers (collection Premier Roman) et de la série Étamine Léger d'Anne Legault (collection Roman Jeunesse). Elle a également fait les illustrations de l'album *L'ourson qui voulait une Juliette*, publié dans la série Il était une fois, pour lequel elle a reçu en 1998 le prix Alvine-Bélisle, remis par les bibliothécaires du Québec.

Depuis toujours, Leanne lit et dessine, en particulier la nuit. Car Leanne Franson est une couche-tard. Le jour, elle se balade avec son chien et va à la bibliothèque pour faire des recherches. De plus, elle aime circuler à vélo, par souci d'écologie, et elle adore le fromage grillé.

Sylvie Desrosiers

L'audition de Thomas

Illustrations
de Leanne Franson

la courte échelle

Pour Thomas,
si merveilleusement
indépendant.

1
J'ai toujours voulu un chien

J'ai toujours voulu un chien. J'en ai eu un, un chiot. Il était tellement beau! On aurait dit un ourson. Il était blond, tout rond, avait le poil long, des yeux bruns et une grosse truffe noire.

Il faisait pipi partout. Ça m'inquiétait beaucoup, car je doutais que ma mère endure cela longtemps. Après tout, c'est elle qui nettoyait. Je voulais bien m'en occuper, mais je ne voyais jamais Mozart — c'était son nom — faire ses dégâts.

Ma mère l'aimait autant que moi. Il y avait tout plein d'affection

dans ses mains quand elle lui flattait la tête. Elle sait ce que c'est, ma mère, l'affection. Je me demande même parfois comment une seule personne peut en contenir autant!

Mon père, qui vit en haut de chez ma mère, trouvait Mozart très drôle. Quand mon chien courait, on aurait dit que ses pattes de derrière allaient plus vite que celles de devant. Il courait donc avec le corps de biais. Il finissait par s'emmêler dans ses pattes et par terminer sa course avec des culbutes.

Mon rat blanc, Einstein, n'était pas trop certain d'approuver la venue de Mozart, alors que mon chien aurait bien voulu jouer avec lui. Je crois qu'Einstein, pour une fois, appréciait sa cage.

Cassandre, ma soeur de cinq ans, nouait des boucles rouges autour du cou de Mozart. C'est à cause d'elle si mon chien est parti. On a découvert qu'elle était allergique aux chiens.

Et si moi, j'étais allergique à ma soeur? Est-ce qu'on pourrait la mettre en pension à la campagne elle aussi? J'ai posé la question à mon meilleur ami, Christophe.

— Je dirais que non, m'a-t-il répondu.

On avait les mains dans un seau plein de vers de terre longs, gras et bien grouillants.

— Alors, dans la vie, pour faire la loi, il vaut mieux être allergique? lui ai-je demandé en étirant un ver géant.

— Je dirais que oui.

— Oui, mais je n'ai aucune allergie!

— Moi non plus. Il va donc falloir qu'on endure, a-t-il lancé en soupirant.

— Ou qu'on change?

Cassandre s'est soudain pointée. Je l'ai menacée de mettre un ver dans son chandail. Elle est partie en criant et en pleurant. Je savais que j'allais me faire dire d'arrêter de la harceler. Si on ne

peut pas agacer sa soeur, à quoi sert-il d'en avoir une?

Je me suis endormi ce dimanche-là avec tout plein de vagues dans mon coeur.

Dans mon lit, je serrais contre moi un vieux toutou jaune et sale en imaginant que c'était Mozart. J'étais triste, tellement triste!

Je me demandais si je pouvais

développer une allergie juste à moi. Une allergie aux poupées, par exemple, pour me venger de ma soeur.

Je me demandais comment avoir le droit de faire la loi chez moi, pour une fois.

Je me demandais si Mozart était content dans sa nouvelle maison. Si les enfants, là-bas, l'aimaient. Mais peuvent-ils l'aimer autant que moi je l'aurais aimé? J'en doute.

Puis la vague s'est calmée. Parce que je suis tombé de sommeil sur mon toutou complètement mouillé.

2
Je n'ai jamais rêvé de faire de la télé

Je n'ai jamais rêvé de faire de la télé. Je vous jure que c'est vrai. Mais vous devriez voir l'énervement à l'école ce matin!

Des gens viennent pour faire ce qu'ils appellent du «casting». Ils cherchent un enfant qui deviendra la vedette d'une future série à la télévision.

— Il paraît qu'ils vont dans toutes les écoles pour trouver, lance Christophe.

— Est-ce que ça t'intéresse?

— Hum. Je dirais que oui. Je vais aller à l'audition.

— Pas moi, c'est sûr.

Dans la classe, Christophe et moi sommes assis l'un à côté de l'autre. Des fois, on chuchote. Mais pas comme Louis Nadeau et Thierry Turcotte. Alors c'est eux que Mme Binette observe et pas nous.

Jessica Beaudin, Anna Vachon et Caroline Lacasse veulent aller se changer ce midi pour mettre leurs plus beaux vêtements.

Martine Chang est certaine qu'elle sera choisie parce que tout le monde lui dit toujours qu'elle est donc mignonne.

Louis et Thierry font semblant de rien et rient des filles. Mais ils rivalisent entre eux pour faire le clown et paraître le plus drôle des deux.

Moi, je verrais bien Christophe en acteur.

Il est le meilleur au soccer. Il a de «si beaux yeux verts», comme dit Mme Binette. Il a des fossettes aussi. Et des cheveux blonds et bouclés.

Moi, j'ai les cheveux longs et je les porte en queue de cheval. Ma mère m'a obligé à les attacher après mes trois infestations de poux de l'hiver dernier.

Je joue du violon. Mes parents sont un peu bizarres. Je parle tout seul dans ma chambre. Je suis timide et bon à l'école.

Surtout très timide.

Mais ce n'est pas moi dont il était question. On parlait de Christophe.

Je sais qu'au fond ça lui plairait de faire de la télé. Je me demande comment je pourrais l'aider à être choisi.

***

— Penses-tu que c'est payant, la télévision? demande Louis.

Nous sommes dans la cour de récréation. À l'ombre, car il fait chaud, même si on n'est qu'au début de juin.

— Ceux qui font de la télé sont tous millionnaires! C'est connu, déclare Thierry.

— J'aimerais ça, devenir millionnaire, dis-je. Toi?

Christophe réfléchit:

— Je dirais que oui. Si jamais on me choisit, je pourrai m'acheter mille nouveaux jeux vidéo. Toi?

— Si je devenais millionnaire, je donnerais au moins cent dollars à ma mère. Et cent dollars à mon père. Mais ça n'arrivera pas puisque je ne veux pas faire de la télé.

Les gars continuent à jaser alors que Christelle, notre amie, vient nous rejoindre. Elle a détaché ses habituelles tresses. Avec les vagues dans ses cheveux, elle a vraiment l'air d'une fille. Hum. Je l'aime mieux avec ses tresses.

— La directrice dit qu'ils vont passer dans les classes après la récréation. On n'est pas censés faire attention à eux. Oups! La cloche.

On se met en rangs. Je vois bien les trois personnes qui se promènent dans la cour depuis quinze minutes.

Si j'étais millionnaire, peut-être qu'on pourrait déménager dans une maison tellement grande qu'il y aurait des pièces de trop. Je pourrais avoir un chien et le garder dans ces pièces-là, où ne viendrait jamais ma soeur.

Suis-je vraiment si timide que ça?

Oui.

Je vais me contenter de mon rat.

3
Je n'ai jamais pensé un jour faire des jaloux

Je n'ai jamais pensé un jour faire des jaloux. Surtout avec le violon!

Parfois, comme aujourd'hui, je l'apporte au cours de musique. Je joue la pièce que je suis en train d'apprendre avec mon professeur privé.

Mme Blanchette, la professeure de musique de l'école, me donne toujours un A dans mon bulletin, même quand je fais des fausses notes. Certains clament que ce n'est pas juste. Mais je ne peux quand même pas faire semblant que je ne sais pas ce que je sais.

Les amis de la classe m'écoutent toujours avec attention. Il y a des gens qui croient que les enfants n'aiment pas la musique classique. C'est faux.

Mes amis aiment les pièces que je joue. Peut-être parce qu'elles ne sont pas trop longues? Ça les impressionne, en tout cas. Sauf un ou deux qui trouvent que c'est niaiseux. Mais je ne m'en occupe pas.

Comme quand ils me lancent que j'ai l'air d'une fille, à cause de mes cheveux longs. Ma mère me dit toujours qu'il faut être soi-même. Et que, des fois, ça prend toute une vie pour y arriver. Ça, c'est long en titi! Je n'aurais jamais la patience d'attendre jusque-là.

Les gens de la télé sont venus

dans ma classe, en plein cours de français. «Restez naturels», qu'ils ont dit. Alors tout le monde s'est figé sur place. Naturellement.

Un homme tenait une caméra vidéo et a commencé à filmer.

On s'est regardés du coin de l'oeil, Christophe et moi, et on

est partis à rire. Toute la classe nous a imités. Christelle a ri plus fort que d'habitude pour se faire remarquer.

Les gens de la télé ne sont pas restés plus de cinq minutes.

Meilleure chance dans une autre classe.

On s'est demandé tout l'après-midi qui pourrait bien être choisi.

— Je pense que ce sera Sarah Beaudoin, dit Louis. C'est le chouchou des maîtresses.

Et de Louis aussi…

— Je vote pour Émile Jodoin, lance Thierry. C'est le gars le plus drôle des cinq classes de troisième année.

— Moi, je suis certaine qu'ils vont m'appeler, affirme Christelle. Le monsieur m'a filmée plus longtemps que les autres.

On a éclaté de rire. Elle n'a pas aimé ça. Elle est vraiment susceptible, Christelle Lafrance.

— Moi, je pense encore que ce sera toi, Christophe.

Il soupire et me regarde:

— Moi, je dirais que non.

C'est à ce moment qu'on est partis dans le local de musique pour notre période de la semaine.

Et que les gens de la télé sont revenus pendant que je jouais une valse de Bach.

Dès que j'ai fini mon morceau, Christelle s'est levée pour jouer de la flûte. Elle aussi suit des cours. Ils l'ont écoutée. Puis ils sont sortis.

Peut-être que ce sera elle, finalement.

— Thomas?

Oups! La directrice!

— Peux-tu venir avec moi?

Ce n'est jamais bon signe quand la directrice nous appelle. Je dépose mon sac à dos dans mon casier. Je la suis vers son immense bureau, que je n'avais jamais vu.

— Bonjour, Thomas. Aimerais-tu faire de la télévision?

Que répondriez-vous à ma place?

4

J'ai toujours cru que c'était facile de dire non

J'ai toujours cru que c'était facile de dire non. Je le fais très souvent. Mes amis aussi. Et c'est le mot qui sort de la bouche de ma soeur le plus souvent dans une journée, après «maman».

Dans le bureau de la directrice, c'est ce que j'ai dit: «Non.»

Une dame tout en noir avec des mèches blondes s'est alors assise près de moi.

— Thomas, tu es l'enfant parfait! Celui qu'on cherche. Tu joues du violon, c'est rare! Ce sera magnifique à la télévision. Vraiment émouvant!

— Ce n'est pas rare! On est nombreux à l'école de musique!

Elle m'a regardé avec un joli sourire:

— Tu es spontané! Frais! C'est exactement ce qu'on veut.

— Il y en a plein d'autres, ici, qui sont frais! Et qui ont déjà joué dans la pièce du service de garde, à Noël.

— C'est toi qu'on veut. Attends, je vais te montrer quelque chose.

Elle met en marche la caméra vidéo.

— Regarde.

Là, je me vois. Dans la classe, en train de rire, couché sur mon pupitre en lançant un regard complice à Christophe. Dans la cour d'école, essoufflé, courant avec le ballon de basket. Dans ma classe de musique, concentré sur ma partition.

— Tu crèves l'écran, mon garçon! Tu as un visage, comment dire? Unique! Tu es le seul garçon de ton école à avoir une queue de cheval, tu sais ça?

— Oui, mais pourquoi moi?

— Parce que tu es différent! Ça, c'est vrai. Et j'en suis fier. Elle insiste:

— Il ne faut pas avoir peur! Nous allons bien t'encadrer. Tu verras, ce sera un jeu.

— Il faut d'abord que j'en parle à mes parents.

— Évidemment, approuve la dame. Je peux les voir aujourd'hui?

Dans la liste des personnes qui savent si facilement dire «NON», il y a bien sûr mes parents. J'étais très étonné qu'ils disent «oui».

— Seulement si Thomas veut, a ajouté ma mère.

Mon père voit cela comme une chance, une expérience à saisir. C'est vrai qu'il est toujours prêt à sauter dans une nouvelle aventure, mon père. Ma mère le trouve dangereux; moi, génial.

Ma soeur exige un rôle, elle aussi. Elle n'arrête pas de se déguiser et de jouer la grande star. Ridicule. Sauf que c'est en l'observant que j'ai pris ma dé-

cision. Je ne peux pas avoir de chien, alors j'aurai un rôle.

Quand j'ai appelé Christophe pour tout lui raconter, je lui ai demandé son avis:

— Penses-tu que je deviendrai célèbre?

— J'espère que non. Mais je dirais que oui.

— Pourquoi non?

— Parce que tu vas m'oublier.

— Quoi?! On sera toujours des amis, Christophe!

Quand on pense qu'une chose est vraie, est-ce qu'elle l'est vraiment?

5

J'ai toujours trouvé que les gros chiens étaient plus joyeux que les petits

J'ai toujours trouvé que les gros chiens étaient plus joyeux que les petits. C'est vrai. Les petits jappent beaucoup et, parfois, ça me fait peur. L'avantage, c'est qu'on peut les prendre dans nos bras, c'est sûr. Mais les gros chiens, eux, rient. Ça aussi, c'est sûr.

Par exemple, le chien du deuxième voisin. Quand je suis triste, il me regarde avec des yeux mouillés. C'est facile à voir qu'il est triste que je sois triste. S'il peut être triste, il peut donc être joyeux. Quand je joue avec lui, je sais qu'il part à rire en même temps que moi.

Il y a un petit chien dans le studio de télévision où nous venons d'arriver, ma mère, ma soeur et moi. Ma mère, c'est normal qu'elle soit là, mais ma soeur... Elle a gagné, comme d'habitude, avec ses larmes.

Ma mère dit toujours qu'on n'obtient rien avec des larmes. Elle refuse d'accorder quoi que ce soit quand on demande quelque chose en pleurant.

Lorsqu'on arrête et qu'on demande gentiment, elle accepte. Elle ne se rend pas compte, ma mère, que c'est parce qu'on a pleuré AVANT qu'elle finit par dire oui. Mais je ne vais pas le lui signaler. Un fou.

Donc, un petit chien. Qui deviendra gros, car c'est un chiot. La copie, le portrait, le clone de Mozart!

Il y a aussi deux autres garçons de mon âge, avec leurs mères. Curieux…

— Bonjour, Thomas!

La dame en noir aux mèches

blondes se précipite vers nous avec un sourire large comme un écran géant. Elle se penche à ma hauteur — je ne suis pas si petit, quand même — et elle passe sa main sur mes cheveux qu'elle ne peut pas ébouriffer puisqu'ils sont attachés serré.

— Tu es prêt pour ton bout d'essai? Viens que je te présente l'équipe.

La réalisatrice a les cheveux rouges. Son assistante a les cheveux verts. Et le caméraman n'en a pas un sur la tête.

La réalisatrice m'explique que nous sommes trois à faire un bout d'essai.

— Trois? Je croyais que c'était moi qui avais été choisi.

— Tu comprends, Thomas, on ne peut pas prendre de risques,

en télé. Ça coûte beaucoup d'argent, alors on a sélectionné deux autres garçons.

Ils sont pareils: mêmes vêtements de sport, mêmes cheveux, très courts. Pareils à tous les gars de mon école.

L'assistante aux cheveux verts nous réunit.

— Voici ce qu'on va tourner. Vous êtes dans votre chambre, avec votre chiot. Il faut vous en défaire parce que votre petite sœur est allergique. Imaginez que vous l'aimez très fort et que vous êtes très, très triste.

Aïe! Qui a bien pu écrire cette histoire? C'est la mienne! Et je ne connais pourtant personne qui travaille pour la télé!

Chacun leur tour, les garçons tournent. Avec Tom. Le chiot

s'appelle Tom!

Le premier joue avec le chien, mais fait la grimace quand Tom lui lèche les oreilles.

Le deuxième est... bon, même s'il a crié «ouache» quand Tom lui a collé sa truffe bien mouillée sur le nez. Ce gars-là a même eu des larmes! Ça, je n'y arriverai jamais, c'est sûr. Aussi bien arrêter tout de suite.

— C'est à ton tour, Thomas. N'aie pas peur, tu vas voir, ça ira très bien.

N'aie pas peur? Mais oui, j'ai peur! Ils sont tous là à me regarder, à attendre.

Ma mère se ronge l'intérieur des joues comme elle le fait toujours quand elle est nerveuse. Ma soeur se tient tranquille, ce qui n'est pas bon signe. Les deux garçons me lancent un regard de défi.

— Quand tu es prêt, Thomas. Prends ton temps, on n'est pas pressés, me dit la réalisatrice en venant déposer le chiot sur mes genoux.

Tout de suite, Tom appuie ses grosses pattes sur mes épaules et me lèche le visage avec sa langue rose et chaude. Exactement comme faisait Mozart!

J'éclate de rire et Tom frétille sur moi, bat de la queue, aboie avec enthousiasme. Je le serre alors vraiment fort contre moi. Et c'est comme si j'avais retrouvé mon chien à moi.

J'oublie tout le monde autour, j'embrasse Tom, je gratte ses petites oreilles pendantes. C'est Mozart.

Je suis transporté vers la dernière fois que je l'ai tenu sur mon coeur. Il s'en va. Je sais qu'il sera bien dans sa nouvelle maison, mais moi, je ne serai pas bien.

Je perds mon ami, mon rêve, mon compagnon si content de me voir rentrer de l'école chaque jour.

C'est à lui que je disais bonjour en premier, en lançant mon sac à dos dans le corridor. Il faisait pipi par terre avant de sauter dans mes bras. Je revois la petite flaque et ça me fait sourire.

Je sais que, dans quelques minutes, un homme gentil va sonner à la porte. Il va me dire que je peux venir voir Mozart quand je veux.

Je sais que je vais pleurer

quand il ressortira avec mon chien qui ne comprendra rien à ce qui arrive. Et qui se tournera vers moi dans l'embrasure de la porte, l'air de demander: «Tu viens avec moi, Thomas?»

Et ça se met à couler, couler, couler. C'est comme si Mozart partait réellement pour une deuxième fois.

C'est là que Cassandre a éternué! À cause de ses allergies. J'ai regardé autour de moi.

Le silence régnait. Ma mère pleurait. La réalisatrice a dit:

— Coupez!

Et tout le monde m'a applaudi.

Je pense que j'aurai le rôle, finalement.

6
Je n'ai jamais imaginé parler à mon miroir

Je n'ai jamais imaginé parler à mon miroir deux fois en deux jours. C'est pourtant ce que j'ai fait.

La première fois, c'était hier, avant de me coucher.

J'ai pris ma douche. Puis j'ai dessiné un coeur dans la buée qui couvrait le miroir de la salle de bain. J'ai défait mes cheveux, les ai brossés. J'ai gonflé mes biceps. Et chut! je me suis trouvé beau. «Tu es bon, Thomas. Tu vas devenir un acteur célèbre. Il y en a, des acteurs timides.»

J'ai refait ma couette et je me

suis glissé sous ma couette, dans mon lit. Avec un sourire de fierté.

La deuxième fois, c'est ce soir. Je me suis placé devant mon miroir et j'ai fait la même chose qu'hier, exactement. Mais je ne me suis pas dit les mêmes mots. «Est-ce si important que ça, devenir un acteur célèbre?»

Je tourne les cheveux de ma couette autour de mon doigt.

Je réfléchis.

La dame en noir est venue voir mes parents pour discuter avec eux de contrat, de tournage, d'école. Il ne faut évidemment pas que je manque l'école, selon mes parents. Moi, je sauterais bien des journées.

— Ça pourrait arriver, a précisé la dame.

Youpi!

Elle voulait aussi me résumer l'histoire de la série, qui compte treize émissions! C'est beaucoup! Avec moi comme vedette!

Puis elle m'a dit quelque chose de très étrange.

— Thomas, tu es un acteur-né!

— Merci.

— Ce sera très chouette!

— Je pense, oui.

— Par contre… euh… Dis-moi, joues-tu au soccer?

— Des fois, mais je ne suis pas vraiment bon.

— Enfin, ça s'arrange. Tu n'as pas à jouer vraiment. Sauf que dans l'histoire tu es un garçon qui joue au soccer.

— Mais vous m'avez dit que je jouerais du violon. Ça, je peux bien le faire!

— Oui, mais tu comprends, les

jeunes enfants n'aiment pas trop la musique à la télé. Et puis…

— Et puis?

— Il faudrait que tu coupes tes cheveux court.

— Mais vous m'avez dit que j'étais choisi parce que j'avais les cheveux longs!

— Oui, mais vu que la plupart des garçons ont les cheveux courts, on voudrait que tu sois comme eux. Pour qu'ils se voient en toi.

— Mais vous m'avez dit que j'étais choisi parce que j'étais différent des autres!

— Oui, mais… oh, et puis tout ça n'a pas vraiment d'importance, n'est-ce pas? Tu n'es qu'un enfant, après tout, et tu vas changer cent fois de coiffure jusqu'à l'âge adulte.

Je n'étais pas trop sûr de ce que signifiaient ses paroles.

— Vous voulez moi, Thomas, ou vous ne voulez pas moi, Thomas?

— Oui, on veut toi! Mais comme les autres. C'est ça, la télé. C'est juste pour quelques mois. Ça repousse, des cheveux. Et puis tu joues du violon ailleurs, de toute façon. C'est entendu?

Ma mère et mon père ont suggéré que je réfléchisse un peu. Qu'il fallait que je sois bien sûr de vouloir. En pesant le pour et le contre.

Elle est sortie en disant qu'elle était persuadée que j'accepterais. La popularité et la fortune m'attendent, après tout.

Elle m'a donné jusqu'à demain.

Parfois, demain, c'est très, très loin. Parfois, c'est trop tôt. Est-ce que le temps dépend de nous? De la manière dont on le voit? Si oui, ça signifie que je peux être maître du temps!

Enfin, maître numéro deux, car le numéro un, c'est ma mère, c'est sûr.

Maître de quoi d'autre? À neuf ans, de pas grand-chose.

7
J'ai toujours su
qu'elle m'aimait

J'ai toujours su qu'elle m'aimait même si elle est une nuisance publique. Cassandre a décidé de se faire couper les cheveux très court, en même temps que moi, pour m'encourager.

Ma mère est venue s'asseoir près de moi, dehors.

— Es-tu bien sûr, Thomas? Moi, je t'aime comme tu es. Tu n'as pas à être un acteur, tu sais. Tu es un garçon formidable, c'est déjà beaucoup!

— Je suis sûr, maman.

Je ne lui ai pas dit que, toute la nuit, j'ai pensé à mon chien. Et à

la grande maison qu'il nous faut pour en avoir un. Peut-être même le chiot du studio, Tom?

Il faut que j'aille me faire couper les cheveux tout de suite, avant de changer d'idée. J'y vais avec Cassandre, ma mère et la dame en noir, qui sait ce que les patrons de télé veulent.

Me voilà sur la chaise du coiffeur. Il m'enveloppe dans une toile noire. Il dénoue mes cheveux, passe un peigne pour les démêler. Il prend ses ciseaux pointus.

Cassandre est sur la chaise d'à côté. Son coiffeur fait les mêmes gestes que le mien, en même temps.

— Est-ce qu'on va tourner avec Tom?

— Tom? Oh non. Il était là

juste pour l'essai. C'est trop
compliqué, les animaux, sur un
plateau de tournage.

Tout à coup, je vois deux cho-
ses dans le miroir devant moi. La
première: le regard de ma mère
qui s'éclaire, comme quand elle
comprend une chose soudaine-
ment. La deuxième: les ciseaux
qui coupent une large mèche de
mes cheveux.

— Stop!

Je me lève, jc prends la main de Cassandre.

— Je ne veux plus, madame.

La dame en noir a les yeux aussi ronds que des ballons de basket tellement elle est surprise:

— Mais pourquoi?

— Parce que je suis Thomas et que je ne veux pas être autre

chose. Même pour un million de dollars. Même pour un chien.

Ma mère prend un air désolé et m'excuse auprès de la dame. Puis elle sort avec nous et avec son sourire des grands jours.

***

Après avoir consulté un vétérinaire, nous avons découvert une race de chiens qui ne perdent pas leurs poils. Cassandre ne devrait pas y être allergique.

Nous sommes allés chez un éleveur. Une fois avec les onze chiots, il y en a un qui s'est tout de suite approché de moi.

Il s'est collé contre ma jambe, s'est assis. Il a levé sa petite tête vers moi, si grand pour lui, et… il est tombé sur le côté! C'est lui

que j'ai choisi. Il est tout frisé et, quand je le flatte, on dirait de la laine.

Il est brun chocolat au lait, a des oreilles pendantes et il ne deviendra pas très gros. Mais c'est gentil, finalement, les petits chiens. Ça a l'avantage de pouvoir dormir dans le lit. Ma mère n'a jamais voulu que je dorme avec mon rat.

Je ne lui ai pas encore trouvé de nom.

Cassandre est jalouse parce que c'est MON chien. Mais elle pourra jouer avec lui quand elle veut. Enfin, quand JE veux.

— Tu as eu un chien garanti pas d'allergies parce que tu as décidé de rester toi-même, c'est bien ça? me demande Christophe.

On est dans la cour avec Pas-de-Nom. On dirait qu'il rit.

— Oui. Ça a été long avant que ma mère comprenne, mais il faut être patient avec les parents, tu comprends.

— Ce n'est pas plus compliqué que ça?

— Non. Essaye ça avec ta mère. Tu pourras peut-être avoir le serpent à sonnette que tu désires?

— Hum. Sais-tu, je dirais que non.

Ma mèche coupée et ma queue de cheval me font une drôle de coiffure. À l'école, j'aurai l'air encore plus différent.

J'aurai l'air encore plus moi-même, en fin de compte.

Table des matières

L'intérieur de ce livre est imprimé sur
du papier certifié FSC, 100% recyclé.

Achevé d'imprimer en août 2008 chez Gauvin, Gatineau, Québec